KB206888

늙은 코끼리의 노래

늙은 코끼리의 노래

강세환 시집

경진출판

차례

제1부

제2부

제3부

제1부

조용한 것은 또 얼마만큼 무거운지

원주 세브란스 기독병원 응급실
이틀째 누워계시는 노모 곁에 바짝 붙어 앉아서
조용한 것이 얼마만큼 무거운지
또 말을 않는 게 얼마만큼 무거운지
자꾸 고개만 떨군다
나는 돌아보지 않고 어느 모녀의 대화를 듣는다
"거긴 눈이 엄청 왔대"
"걸어서 갔나?"
"택시 타고 갔대!"
"잘 했다"

다시 조용하다
조용한 것도 골똘히 생각하다 보면
큰 무게가 된다
이제 더 이상 가라앉을 데가 없어도
조용한 것을 생각하는 일도
눈이 엄청 왔다는 어느 국도를 생각하는 것도
무거운 것을 생각하는 일이 된다

원주 세브란스 병원 근처 맛집

병원 나가서 오른쪽엔 소머리국밥집
왼쪽 한식 뷔페 보리밥도 좋다
좀 더 멀리 가면 추어탕 잘하는 집도 있고
시장 안에 가면 돼지 국밥도 괜찮다
어제부터 양쪽 팔목에 링거 꽂아놓고
내 끼니 걱정하는 구순 넘은 노모

나는 나가서 왼쪽으로 조금 올라가서 순댓국 먹고 왔다
내일은 눈여겨 뒀던 홍콩반점 '백짬뽕' 먹으리
하루 이틀 간병하면서 숙식 해결하다 보니
매번 숙보다 식이 문제였다
환자도 보호자도 먹는 게 문제인 것 같다
오늘 저녁도 또 한 바퀴 돌았다

부처의 하루 공양은 어디서부터 시작되었는지 보라*
아침 공양 때가 되어
가사를 입고 빈 발우를 들고 걸식하고자 사위대성에 들어갔
다
성안에서 차례로 칠가식(七家食) 후

본래의 처소인 사위국기수급 고독원에 돌아와
공양을 들고 가사와 발우를 거두고
발을 씻은 다음 자리에 앉았다

*금강경

복도 끝의 침묵에 관한 기록

나는 병원 6층 통합접수처 앞 소파에 앉아 있었다
밤 아홉 시
오늘은 여기서 1박 해야 한다
그러나 저 음료수 자판기 전기 소음에 점점 예민해진다
밤 열두 시
저 집요한 소음만 빼면 이 밤도 견딜 수 있을 것 같다
새벽 한 시
저 묵직한 기침소리도 기침보다 침묵이 될 수 있고
슬픔도 침묵이 될 수 있고
아래 층 복도 끝의 어린아이 울음소리도 침묵이 될 수 있다
이 세상의 고요도
마침내 저 소음도
이 침묵도 이 밤도 아픔도 어둠도 침묵이 될 수 있다
아픔을 견디다 보면 나의 아픔이 되고
침묵을 견디다 보면 나의 침묵이 되고
외로움도 견디다 보면 나의 외로움이 된다
조금씩 다른 삶을 살아지게 되고
어둠 속에서 희뿌옇게 밝아지던 그 무엇!

내가 할 수 있는 게 뭘까

바로 앞의 침상 끝에서 늙고 쉰 목소리가 들렸다 "오빠 오라고 해!" 곧이어 들리던 중년 여자의 목소리 "남자가 뭘 해!" 오늘 내가 뭘 했는지 돌아보았다 어머니 화장실 갈 때 조용히 뒤따라가서 문 밖에서 기다렸고, 침상 옆 보호자 자리에 우두커니 앉아 있는 것 말고… 3박 4일 동안 뭘 했지?

잠시 넋 나간 놈처럼 딴 생각을 했다 도둑의 삶을 살았던 자도 여기 들어오면 조용할 것 같다 딱히 할 게 없다 어느 조직의 조직원도 반란을 도모하던 자들도 살림하던 남자도 사채 끌어다 쓴 남자도 전선에 투입된 전사도 밥 먹고 시만 쓰는 원로도 간병인도 공익근무자도 잠 못 드는 자도…

우는 자가 없다

이렇게 병들고 아픈 사람이 많은데
우는 사람이 없다
오늘도 우는 자를 본 적이 없다
바로 옆의 환자도
폐 쪽에 아주 큰 수술을 했다는데
어디서 울음을 다 쏟아 놓고 나서
병원에 맨몸으로 들어온 것일까

아픈 사람을 이기려고 하지 마라
아픈 사람을 어떻게 이기겠느냐
아픈 사람은 몸만 아픈 게 아니다

산책 나갔다가 아예 밖으로 더 나갔다가
군고구마 사들고 와서
한 봉지 내놓던
여기 바로 옆에 가볍고 밝은 아픔도 있다
눈물은 아픔보다 더 멀고
더 깊은 곳에 찔러두었는가 보다
(진심으로 쾌유를 빈다)

병원에서의 산책

각자 휴대폰 하나씩 들고
6층 신경외과 중환자실 건너 수납처 지나
환자도 보호자도 걷는다
팔걸이 보행기에 의지한 환자도
걷는다
죄수들도 감옥에서 산책을 해야 하고
환자들도 산책을 해야 한다
산소통을 매달고
휠체어에 앉혀놓은 아내를 위해서라도
저 복도 끝까지 다녀와야 한다
아! 휠체어는 저렇게 밀어야 한다
아주 낮은 보폭만큼
그 보폭으로
아픈 사람의 보폭만큼
아주 작은 보폭으로
산책하듯이
나직하게

당신의 말

나이 많은 여자들은 어디서든 말을 한다
복도에서든 병실에서든 밥 먹는 중에도
"어디서 오셨소?"
"강릉!"
"나는 바다 참 좋아하는데…"
여기서도 나이 많은 남자들은 말이 없다
말도 끊고 친구도 끊고
세상일도 끊고
면벽 하듯 텔레비전만 쳐다보고 산다
그러나 침묵하기 전에 어떻게든 말을 해야 한다
빙산의 일각이든 물 밑 대화든 뒷담이든
내 말과 당신의 말이 증발하기 전에
당신의 말이 저 빗소리에 섞이기 전에
당신의 말이
어둠 속의 유령처럼 떠돌기 전에
어둠 속에 깊이 빠지기 전에
뭇 바람에 흩어지기 전에
더 늙기 전에
남자들도 수다를 배워야 한다

누가 인사를 잘 하는가

이 61 병동에서
마주치는 이들 중에 누가 인사를 잘 하는가
새벽 다섯 시
좀 전에 2호실 앞에서 했는데
돌아서서
화장실 앞에[서 또 먼저 인사를 건넨다
복도에서 만났는데 또 인사한다
두 시간여 만에 세 번째 인사다
결례를 무릅쓰고 이름이라도 여쭤봐야 하겠다
李○○
옷깃에 끼워두었던 명찰을 꺼내 보였다
그러나 나는 초고에 썼던 그의 이름을 지운다
시에다 문단 선후배 이외
어느 누구라도 실명을 쓰지 마라
시는 또 미담을 기록하는 것도
미덕을 부추기는 것도 아니다
날이 채 밝기 전의 일이다

누워 있는 섬

"어디서 오셨소?"
바로 옆의 침상에서 기침하고 또 기침하고
쉬지 않고 기침하고 헛기침하고
가래 뱉고
3~4초에 한 번씩 신음하고
충주에서 왔다는
전직 대학 병원 간호사

어머니가 입맛이 하나도 없다고 하니까
1회용 김을 내놓던
서너 개 더 내놓던
6인실 병실에서 신음소리가 가장 거칠던
본인 과거 병력(病歷)과 남편 병력까지 다 털어놓던

크악 크악 가래라도 뱉고 싶다는 건지
속이라도 더 뱉어내고 싶다는 건지
카악 카악
그 와중에 큰손주가 대학 수시 합격했다고
문자메시지 보여주던 이

휠체어 밀 때 주의사항

휠체어 밀 때 뒤에서 말하지 말 것
뒤에서 혼잣말도 하지 말 것
앞의 환자가 듣기 어렵다고
자기 하고 싶은 말 덮어놓고 하지 말 것
아픈 사람은 귀가 밝다
많은 사람들로부터
많은 말을 들었고 또 들었을 것이다
많은 말을 또 삼켰을 것이다
병석의 어머니도
내 말을 많이 듣고 많이 삼켰을 것이다
아픈 사람은 귀가 얇다
환자의 눈높이에서 말할 것
말을 나누고 싶으면
휠체어 앞에 쭈그리고 앉아서
말할 것
환자 뒤에서 함부로 말하지 말 것

서러운 것

새벽 여섯 시
본관 1층 엑스레이 촬영실 앞에서 순서를 기다리는
이십여 명 환자들
먼 데는 보지도 못하고 하나같이 말이 없다

아픔을 견딜 수 없어서
슬픔을 견딜 수 없어서
외로움 견딜 수 없어서
우리 어머니처럼 기운이 하나도 없어서

여기저기 아픈 것보다
이것도 서럽고 저것도 서럽고
먼 데는 쳐다보지도 못하고 눈길은 낮은 데만 뚝뚝 떨어뜨려 놓고
또 혼자만 서러운 것 같아서

복잡한 것

산전수전 다 겪었을 것 같은 찬하장사급
남자
방금 6층 엘리베이터에서 만난
남자
“야! 이거 간단할 줄 알았는데…”

그 바로 옆에서 남자보다 더 어둡던
여자
남자의 말을 받지도 않고 듣지도 않는다
수심이 가득하다
여자는 이 일의 끝을 알고 있을 것이다
복잡한 얼굴은 그런 것이다

아픈 것보다
더 깊은 곳을 길게 찌르는 게 있다

김밥 한 줄에 대한 단상

나는 왜 김밥 한 줄 먹는데도 이렇게 복잡한가
병원 앞 김밥집
쩌그 여자처럼 돌아보지 않고 김밥을 먹고 싶다
저 집중력이 놀랍고
저 집요함이 무섭고
저 가벼움이 부럽다

나이를 먹으니 여자들의 삶이 눈에 들어온다
어머니의 삶이 눈에 들어오고
집사람의 삶이 눈에 들어오고
누이동생의 삶이 눈에 쓰윽 들어온다

여자는 남자보다 복잡한 것 같다
여자는 남자들보다 하는 일이 더 많은 것 같다
(하루 일만 해도 수십 가지라고 함)
여자는 눈과 귀가 빠르다
여자는 보지 않아도 알고 척하면 삼천리다
여자는 내일을 사는 것 같고
남자는 오늘을 사는 것 같다

비유의 힘

내일 아침 담당 의사 회진할 때
물어볼 말을
병원 '고객의 소리' 뒷면 여백에 끄적거려 두었다
시를 쓰듯이

아침에 일어나 어젯밤 메모 두어 줄 지우고
한 줄 더 지우고
두어 개만 남겼다

바쁘겠지만 여러모로 잘 챙겨주어 고맙다는 말과
통증도 없고 속도 편안하다는데
좀 긍정적으로 생각해도 되는지…

이를 테면 강물이 더 이상 넘치지 않도록
제방을 또 쌓는다 생각하면 된다고

고백

삼 년 병치레에 효자 없다는 말은 들어봤지만
고작 3박 4일 하고 나서
자꾸 마음보다 머리가 앞선다
이게 아닌데…
이게 아닌데…

화장실에서든
식당에서든
엘리베이터 안에서든
거울 앞에서 볼 낯이 없다
이게 아닌데…
이게 아닌데…

퇴곡 사촌 동생들은 어떻게 고모님을 병구완 했을까
일 년, 이 년도 아니고
물경 십 년 하고 또 몇 년을
한결같이
한결같이

자정 무렵의 침묵

창밖은 어둡고
다시 병실 복도는 긴 침묵뿐이다
빈 의자를 지나
복도 끝에는 뭐가 또 있는지
천천히 다가가서 본다
아무것도 없다
저녁 먹고 초저녁 일곱 시만 되면
잠이 드는 조용한 병실이여

자정 무렵이 되면
나도 어둠이 되고 침묵이 된다
창밖의 어둠이여 무거움이여
마음밖에 더 기댈 데가 없는
간절한 침묵이여
빈속이여
한잠 자고 일어나도 꼼짝 않던 침묵이여
견고한 어둠이여

눈

—2024년 12월 21일

밤새 눈이 내렸다
말이 없다
여기 침묵하는 자가 하나 더 생겼다
침묵은 침묵을 반복하고
슬픔은 슬픔을 반복한다

들이받을 땐 들이받아야 하는가
싸울 땐 싸워야 하는가
아침식사를 건너뛰더라도
싸울 땐 싸워야 하는가
싸울 줄도 모르면서…

"거기 앉으면 안 돼요!"
"저기 가서 앉으세요!"

6층에서 1층까지 계단으로 걸어서 내려갔다
다시
1층에서 6층까지 계단으로 걸어서 올라왔다
다시

6층에서 1층까지 계단으로 걸어서 내려갔다
다시
모욕도 시가 된다
시가 되면 모욕은 좋은 것도 아니고 나쁜 것도 아니다
모욕과 함께 계단을 오를 수도 있고
계단을 내려갈 수도 있다
밥도 같이 먹을 수 있다

이 시 한 편이 저 많은 눈보다
뒤가 좀 남아 있던 서푼짜리 모욕보다
천군만마 같을 때가 있다
누군가 나를 용서했듯이
누군가 너를 용서했듯이
용서하자

어디서부터 하루가 시작되고 어디서부터 하루가 저무는 것인가

눈 뜨자마자 병동 복도를 왔다 갔다 하는 여자
이 복도 끝
내가 앉은 의자까지 다섯 번째 돌고 있다
그녀가 오고 있다
그녀의 발자국 소리가 다가온다
저녁 일곱 시
그녀는 어둡고 무거운 그림처럼
벽에 등을 붙이고 서 있다
그러나 나는 그녀보다 먼저 첫잠이 오고 잠보다 먼저 내가 앉았던 잠시 누웠던 저 긴 의자가 다가오고
그보다 먼저 잠이 마구 쏟아지고
한잠 자고 일어나면
저 발자국 소리도 61 병동에 누워있는 어머니도
첫잠 들기 전에 몇 줄 끄적거린 시도
더 늦은 밤이 되면
이렇게 또 오늘 하루가 저물게 되는 것인가
아픔도 슬픔도 사랑도
저 혼자 남은 시간이 될 것이다

소파 딸린 서재 같은

본관 6층 수납처 앞
마치 안락한 소파 딸린 서재 같은 곳
밤 아홉 시부터 열두 시까지
하루는 다음날 새벽까지
글도 쓰고
시집도 읽고
잠도 자고…

한밤중에 소파에서 일어나 복도 끝까지 산책도 하고
사색도 하고…
저녁 무렵 눈여겨봤다가
밤이 되면 슬몃 잠입하듯 어둠이 되어
어둠 속에서 서로 어둠이 되어
어둠이 될 때까지
새벽이 될 때까지
새 날이 올 때까지

복도의 끝

나는 복도 끝 의자에 앉아 있다가
밤 아홉 시
3층 복도 끝 의자에 앉아 시를 기다리다 시를 쓴다
이런 일을 하지 않으면 이 밤을 더 버틸 수가 없다
의자에 앉아 있다 보면 또 무엇을 기다릴 수밖에 없다
이 밤은 어디로 흘러 먼 데까지 가는지
할 수 없이 또 그런 생각도 하게 된다

어느 시인은 밤 새워 시를 쓰고 찬 술 마셨다 하고
더 멀리 있는 조선조 옛 시인은 하룻밤에 큰 강을 아홉 개나 건넜다고 하는데
나는 이 밤에 어떻게 강을 건널 것인가
얼마나 많은 시를 써야 이 밤을 새울 수 있을까

초고 두 편 끄적끄적 했는데 열한 시가 되었다
한밤중은 또 얼마나 깊어야 하는지
얼마나 더 깊어야 겨울밤이 되는지
시를 쓴다고 밤을 샐 수 있는 것도 아니고
밤을 샌다고 시가 써지는 것도 아니다

나는 또 얼마나 깊어져야 하는지
하룻밤에 강을 아홉 개나 건넜다면 얼마나 깊은 밤을 건넜다는 것일까

옛 시인은 깊은 강만 건넜다는 게 아닐 것이다
제 심중의 강을 건넜을 것이고
오랫동안 내려오던 아버지의 강을 건너야 했을 것이고 조선 왕조의 강도 건너야 했을 것이고 청국(淸國)의 강도 건너야 했을 것이다
마침내 언어의 강도 통념의 강도 건너야 했을 것이다
이 밤도 밤을 새운 자만 알 수 있고
강은 강을 건넌 자만 알 수 있을 것이다
아픔도 그렇고 역사도 그렇지 않은가

다 잠든 밤에 강을 건너는 자가 역사일 것이다
역사와 왕조를 무너뜨리려고
약자들과 함께 역모를 꿈꾸던 자들이 있었으니
그들이 또 역사일 것이다
이 밤에 이 복도 끝에서 저 복도 끝까지 왔다 갔다 하다

칠성사이다 캔을 한 입에 털어 넣던
그가 또 시인일 것이다
강 건너 어디선가 개 짖는 소리가 컹컹 들린다
나를 향하는 것만 같다

어둠처럼

병실 입구 쪽 남자
6인실이 다 들리도록 노모와 조고조곤 얘기를 나누는
남자
요양원에 십여 년 있다가
입원한
노모 곁에서 외할머니 닮았다는 말도 하고
잠 좀 주무시라고 재촉하고
저 다정한 수다는 어디서부터 온 것인가

"어떻게 어머니와 대화를 그리 잘 하시는가"
"얼마 못 사실 것 같아서…"

시가 꼬리에 꼬리를 물고 나오더라도
적어도
입원한 어머니 옆에서 시를 쓰진 말아야 하겠다
시는 저 병실 복도 끝에서
저 흐릿한 어둠 속에 콕 처박혀서 쓸 것

여백의 시간

저녁 여덟 시쯤 되었을라나
원주 세브란스 내과 중환자실 앞 복도
늙은 어머니와 다 큰 아들이
독수리 양 날개 펴듯
두 팔 쭉 펼쳐서 포옹한다
“아들! 제일 먼저 왔네”

내가 한 번도 해보지 못한 포즈다
내가 한 일은
어제 강릉에서 원주까지 구급차 타고 오는 내내 어머니 손 조금 잡고 있었었던 것밖에 없는…
어머니 요번에 중환자실에서 나오시면
나도 두 팔 쭉 펼쳐서
포옹 한 번 해봐야 하겠다
저렇게!
병원에 있다 보면 혼자 조용히 생각할 일이 많다
새카맣게 어두워진 창밖은 더 쳐다볼 것도 없고
이 밤의 여백 같은
죽은 자들의 이름이나 불러보자

제2부

없음의 철학

환자들은 아침잠이 없다
크리스마스이브도 없다
웃음도 없다
눈물도 없다
아프고 나면 어떤 회한도 없다
갈등도 없다
밖의 날씨 따위도 궁금하지 않다
집 생각도 없다
아픈 곳을 움켜쥐고 있지만
두려움도 없다
병원은 그런 곳이다
밖에다 대고 크게 소리 지를 것도
없다
어쩌면 내가 아닌 것도 알고
내가 없는 것도 안다
한 곳에 오래 있다 보면
없는 것도 철학이 된다

겨울밤의 힘

밤 열한 시가 되면
병실에서든 복도에서든 휴게실에서든
환자와의 대화든 조용해야 한다
환자의 코 고는 소리 빼고
가래 끓는 소리 빼고
기침소리 빼고 조용해야 한다

밤 열한 시가 넘으면
아무리 작은 소리라 해도 소음이 될 수 있다
누군가 그 소리를 다 듣고 있다
환자도 예민하지만
보호자도 예민하다
'고객의 소리' 쓸 줄 모르는 것도 아니고
힘이 없는 것도 아니다

또 겨울밤 열한 시가 되면
변혁을 꿈꾸었던 자
마치 전향하듯이 변혁을 포기하는 자가 된다
그게 또 밤의 힘이다

난데없이 부질없음이 엄습하기 때문이다

이 밤에 시를 쓰는 것도
늦은 밤 산책하는 것도
밤이 주는 또 다른 압박일 것이다
이것도 밤의 힘이다
시를 탈고하고 나서 또 시를 쓰듯이…
'병원에서의 예의'라고
낮에 썼던 이 제목을
불현듯 바꾸듯이

이 밤은 또
몇 해 전 출가한 자의 빈집 같을 때도 있다
단식하고 있는 자의
빈속 같을 때도 있다
먼 데서 보면
다들 점자를 더듬듯 암중모색하고 있다는 것

강릉의료원

—자정

1

어디서부터 자정이 되는 것인가
하룻밤이 곧추 선 것 같다
자정이 되면 어둠이 빛나고
어둠은 정점이 된다
의료원 3층 휴게실의 공기가 빛나고
자정이 되면
세상이 잠시 멈췄다 가는 것 같다

이 밤에 하찮고 불쌍한 것들이여
오오 죽어서도 산 것들이여
살아서도 죽은 것들이여
아주 아주 서럽고 슬픈 것들이여
속상한 것들이여
빛나는 것들이여
어두운 것들이여
누가 잠도 자지 않고 이 많은 것들을
다 기억하겠느냐

2

자정이 지나면

세상은 단순하게 다시 어둠이 되고 빛이 될 것이다

어둠과 빛만 남을 것이다

꽃 한 송이처럼

2리터짜리 페트병의 용도

강릉의료원 3층 병실 출입문 문틈마다
물을 가득 담은 페트병이 눕혀 있다
아!
2리터짜리 페트병 너비만큼 문틈이 생겨나고
그 문틈만큼
어느 사내의 한 주먹만한 틈이 생기고
병실 안의 정황을 짐작할 수 있고
또 병실에선
그 문틈만큼 병실 밖의 발자국 소리라도 들을 수 있다
문 닫을 때 쾅! 소리 나지 않고
하다못해 변변찮은 외풍이라도 드나들게 한
출입문 바닥에 페트병 끼워둔
문틈이 생기게 한
그 생각은 과연 누구의 마음이었을까?
저것은 생각이 아니라
마음이었을 것이다
어디서부터 저런 마음의 끝이 생겨난 것일까
끝의 끝은 저런 것이다
엄지 척!

끝은 없다

강릉의료원 3층 복도 끝에서 끝까지 또 걷는다
끝에서 끝까지 걷는다고
끝이 되는 게 아니다
끝에서 끝까지 걷는다고
끝이 아니다
아무렇게 놓아둔 물건 하나라 해도
끝이 있는 것도 아니고
이게 끝이다 하는 것도
없다
시도 세상도 끝이 없다
끝은 없다
끝은
또 어느 곳에 있는 게 아니다
어느 먼 곳에 있는 게 아니다
생각보다 먼 곳에 있는 것도 끌어당기면
내 것이 되고 내 몸이 된다

자정을 지나면

어느덧 모름지기 자정을 지나면 신념은 위험하다
과거도 위험하다
내 옆의 앉아 있는 사람도 위험하다
언어도 위험하다
타자의 언어도 과거의 언어도 위험하다
자정을 지나면
신념은 광신이 될 수 있고 맹신이 될 수도 있다
신념도 오래되면 관념이 될 수 있고
더 오래되면 고정관념이 된다

아주 가끔 신념도 자정을 지나면 자포자기하게 된다
자기도취도 되고
자기만족도 되고
자기위안도 된다
시를 쓰지 않고 견디는 이 시각도
시가 되는 것 같은
강릉의료원에서의 오늘 하루 중
그리움도 기다림도 아픔도 구멍이 뻥 뚫리는 것 같은
자정쯤 겪는 이 낯선 착각!

형광등 불빛만 남은 휴게실

평범한 원탁 하나 놓인 3층 휴게실
맞은 편 노트북 청년과
마치 취조실 담당 수사관과 참고인처럼 마주앉아서
청년은 노트북과 함께 앉아 있고
나는 시를 쓴다
(적막)
노트북 키보드 소리 하나 들리지 않던
미동도 않던
이 청년은 어디서 왔을까
(이 적막을 깨고 청년이 일어나 밖으로 나간다)
폐렴 때문에 입원한 아버지 간병하러 왔다는
청년을 두고
이번엔 내가 잠시 모니터 밖으로 나간다
(형광등 불빛만 남겨놓고)
청년과 내가 동시에 나간다
(적막)

새벽 두 시

무엇을 견디는 것보다 그냥 무엇이 견뎌지는 것
아픔을 견디는 것도
슬픔을 견디는 것도
괴로움 견디는 것도
외로움 견디는 것도
무료함 견디는 것도
침묵을 견디는 것도
새벽 두 시 텅 빈 복도를 바라보는 것도
(한 시간 더 지나서)
새벽 세 시 휴게실에 앉아 있는 것도
시 몇 줄 끄적이는 것도
시가 나를 쓰는 것 같다는 것도
종이컵이 없다는 것도
사적인 매우 사적인 것도
새벽 세 시 넘어가는
이 여백도 내가 한 줄 쓰다 통째 비워둔 여백 같다
원통사 뒷길이 보고 싶다

시를 기다리며

병실 복도 3인용 의자에 앉아 있는데
반듯한 의자처럼
단지 앉아 있기만 했는데
병실에서 저녁을 먹고
빈 식판을 들고
내 앞을 지나가는 환자들 하나 둘 셋…
유독
빈 식판 든 정면을 응시한 늙은 남자들…
그래도 마음이 놓인다
걷는 게 좀 불편하지만
가슴을 펴고
허리를 꼿꼿하게 세우고
씩씩하게 걷는다
오늘 저녁은 이렇게 완성되는 것 같다
시가 없어도
괜찮다

방금 휴게실에서 들었던 말

"3호실 김 여사 돌아가셨대"

"막걸리 한 잔 마시고 싶다고 하니까 담당 의사가 갖다 주라고 했대!"

"구십 셋이라 하대"

"돌아가실 때 됐네"

산 자는 죽은 자를 기억한다
마지막 장면 한 두어 컷 정도!
그게 또 좀 슬픈 일이다
그게 또 마음에 걸린다
죽은 자도 산 자를 기억한다
마지막 장면 한 두어 컷 정도!

병원에 여러 날 있다 보면 삶의 형식보다
죽음의 형식을 생각하게 된다
하이데거처럼 말하면 '죽음으로의 선구(先驅)'는
세상 사람의 환상으로부터 해방되는 것이며
'죽음을 향한 자유'일 것이다

어느 환자의 독백 1

입맛이 하나도 없다

기운이 없다

기력도 없다

흰 죽이 싫다

또 눕고 싶다

속이 쓰리다

말하기도 싫다

식욕이 없다

집에 가서 한 열흘 영양탕 먹으면 살 것 같다고

그것만 댕긴다고

창밖의 나무 1

나는 강릉의료원 3층 복도 끝 의자에 앉아 있었다
나는 거기서
쪽잠도 자고
시도 썼다
환자나 보호자가 잠시 앉았다 일어나는 곳이지만
나는 나의 서재처럼 앉아 있었다
내가 이 자리를 눈독 들이게 된 이유가 또 있었다
창밖을 내다볼 수 있는
(아! 12월의 강릉을 이렇게 객관적으로 볼 수 있다니!)
작은 창이 하나 있고
좀 어둡긴 해도 이 병실 복도 끝에 있기 때문이다
더 나갈 곳이 없다
더 갈 곳이 없으면
시가 되고 그게 또 철학이 된다
눈 여겨 보는 사람도 없지만 헛꿈 꾸기 좋은 곳도 된다
시에 기댈 때가 많지만
몸이라도 기댈 등받이 의자만 있어도
창밖의 저 나무처럼
한 곳에 또 오랫동안 머물 수 있으리

창밖의 나무 2

얼마나 기다려야 나무가 되나
세상의 나무들은
어떻게 저 자리에서 나무가 되었나
얼마나 기다렸다는 것일까

저 기다림이 나무가 되고
꽃이 되고 침묵이 되고
눈물이 되고 구름이 되고
바람이 되고
사랑이 되고
나무가 된다

또 얼마나 웃어야 웃음이 되고
나무가 되나
내가 이 세상의 나무들을 다 알 수 없듯이
세상의 기다림을 어찌 다 알 수 있으랴
누가 알 수 있으리
이 침묵이 또 나무가 될 때까지

어느 보호자의 미담

바로 앞의 보호자의 독백
정말 멀쩡했는데… 하루아침에 누워 있게 되었다
입만 크게 벌리고
똑바로 누운 채
천정만 쳐다보는
팔십 일곱 살 모친 옆에서
24시간 간병하는
육십 다섯 살
맏딸

주문진 교향리 지나 장덕리가 집이라는
귀가 밝은 모친 의식해서
말 한 마디도 무지 조심하던
모범생 같던
바로 아래 누이동생 같던
간병통합병실도
요양원도 다 싫다는 환자 곁에 있는
주영초등학교 후배 같던
이

아픔에 대한 생각

아픈 것은 어디서 왔는지
그곳은 또 얼마나 먼 데 있는지
여기서 또
얼마나 머물러야 하는지
얼마나 외로워야 하는지
아픔은 어디서부터 시작되었는지
아무도 모르고
아는 사람도 없다
나도 너도
어디서 왔는지 알 수 없듯이
세상의 많은 나무들처럼
어디 앉지도 못하고 서서
아픔은 어디쯤에서 끝이 되는지
생각함

병실 복도까지 들리던 말

(고함지르듯이)
물 가져 와!
이년아 물 가져 와!
(처절하게)
원장 오라 해!
물 가져 와!
물 가져 와!
(지칠 때까지)
여기 좀 와 봐요!
여기 좀 봐요!
여기 좀 봐요!

목이 마른 자의 갈증이여
목 타는 자의 갈증이여
숨 가쁜 갈증이여
숨 막히는 갈증이여

어느 환자의 독백 2

마음의 병이 제일 힘들다
살아온 역사 때문에
다들 젊었을 때 힘들게 살았기 때문에
몸이 죄다 허물어졌을 것이다
한쪽 어깨만 보면 다 알아!
고생을 해봐야 고생도 알고
안 하면 그것도 모른다

컵라면에 뜨거운 물 좀 담아달라던
몸이 많이 불편한
속초에서 왔다는
저 환자야말로
몸 한쪽이 다 허물어졌을 것이다
면회 오는 가족도 없던
창가 쪽 환자

병실에서 1

2호 병실 보호자는 죄다 딸들이다
아들들은 어디 가고
딸들만 있다
세상의 딸들이여
세상의 아들이여
그대는 어디 있다는 것인가

부연동 환자 보호자도 딸이고
장덕리 환자도 딸이고
묵호 환자도 딸이고
속초 환자는 외출하고
나는 혼자 남았다
어디 문자 한 줄 휙 날릴 데도 없다

병실에서 2

밥 못 먹으면 뉴케어* 먹으라고 해!
뉴케어 먹으면 살아!
우리 시어머니도 그거 먹고 일어났어!

흰죽 먹기 싫어!
물 냄새 나서 못 먹겠어!

*'대상' 영양식

제3부

늙은 코끼리의 운명

—병실에서

"내 걱정하지 말고요 김치 냉장고 까만 비닐봉지 밑에 있는 거, 먹던 것부터 찾아먹어요 그 팩 위에 세 개 있지 언양 불고기! 그것부터 먹어요 비닐 팩 열어 보면 알지 여기 걱정 말고 당신이나 잘 챙겨 먹어요"

늙은 남자는 누굴 챙겨야 하나 저 한 몸 챙겨도 잘 하는겨? 늙은 남자는 코끼리 가족 대열에서 뚝 떨어져 사는 늙은 코끼리처럼 살아야 하나 그곳에서 늙어가야 하나 늙은 남자들이 어떻게 살아야 하는지 알 것 같다

오늘 밤을 새운 자들을 위하여

뜬 눈으로 밤을 새운 자들을 위하여 그들의 간절한 삶을 위하여 눈물겨운 밤을 위하여… 12월의 강릉 그리고 대리기사 야간 당직자 의료원 3층 간호사 간병인 환자 및 환자 보호자 24시 편의점 야간 알바생 24 돼지찌개집 장칼국수 초저녁 불면증 환자 가출 청소년 야간 경비원 무명 시인 한국문학의 변방 혹은 광장 의무 복무자 인적 없는 남대천변 강릉 대도호부 야간 조명등 임당동 성당 1분마다 기침 하는 환자 겨울밤 하늘의 별…

고독한 낚시꾼 대관령 바람과 대관령 불빛 통증 때문에 잠 못 드는 이 경포 호수 안목 바다 주문진 등대 영진해변 신리천 소돌항 어화 취준생 이주 노동자 귀가 중인 여고생 강 건너 남산 상원사 범종 옛 명주초등학교 앞 골목 강릉의료원 주차장 끝에 텅 빈 기표 같던 겨울나무 객사문 사거리 지나 경강로 향하는 시위대 아 강릉 1978년 봄 그리고 왕산면 대기새마을중학교 혹은 배나드리 이 밤에 혹시 썸 타는 선남선녀들을 위하여 밤 산책하고 복도 끝 의자에 앉아 있던 늙은 남자 혹은 밤 열 시 카페에 손님처럼 앉아 있는 주인 여자…

부질없는 짓

병원 앞 한식 뷔페서 늦은 아침을 먹는데
앉은자리를 세 번이나 바꿨다
한 번은 입구 쪽 카운터 주인을 피해
한 번은 마을버스에 앉아 있는 것 같은 뒷좌석 중년을 피해
한 번은 어떤 관념이 반복되는 것 같은 텔레비전 뉴스를 피해
앉은자리의 방향을 바꿨다

내가 밥 먹다 말고 또 앉은자리를 바꿀 때마다
이 식당에서 신경 쓸 사람은 아무도 없다
내가 입 다물면
여기서 내가 이 시를 쓰지 않는다면
아무도 모를 일이다
세상엔 아무한테도 말하지 않은 일들이
또 얼마나 많을는지
어제보다 밤바람이 더 찬 것 같다
누군가 길가에서 웅얼웅얼 구호를 외치고 있었다
구호도 그 입도 언 것 같다

죽은 시인의 사회를 위하여

선배 문인들의 얼굴을 흐릿한 흑백사진 한 장밖에 본 적 없는데도 실물 영접한 것처럼
실물보다 더
또렷하게 남아 있다

소월 백석 임화 김유정 이상 미당 김치수
윤동주 김종삼 김현 유치환 신현정 김수영
박용래 박정만 박인환 박태원 김관식…

먼발치에서나마 혹은 같은 테이블에 앉아 있었거나 술자리에 동석했거나 굳이 옆자리에 앉았던
아메리카노 한잔 했던
시인/ 소설가도 있다

김춘수 이승훈 박완서 신경림 조태일 김성동
김규동 송기숙 김남주 이문구 이호철 김지하
김영태 오탁번 문인수 이성선 이윤기 조정권…

한낮의 산책

한 달여 만의 산책
병원 구내 말고 긴 산책이다
강릉의료원을 나와
회산교까지 갔다가 남산교에서
돌아섰다
강릉 동인병원에서
구급차로 어머니 모시고 원주 병원 두 번
여기 의료원도 두 번째다

모처럼 낯익은 대관령 큰 바람
남대천 갈대밭
인적 드문 천변 산책로
무리에서 이탈한 철새
고수부지에 코를 박고 있던 제설차 행렬
강변 두어 곳에서
햇볕 쬐는 노인들

말(言) 1

남자들은 아프면 말이 없고
여자들은 아파도 말을 한다
남자들이 좀 배울 점이다
친구 얘기도 하고 친정 형제 얘기도 하고
친정아버지 얘기도 꼭 하고
시어머니 얘기도 하고
자식 얘기도 하고
아침 약 열한 알, 저녁 약 아홉 알 먹는 것도 얘기한다
세월이 약이야 하고
사위가 뭐하는지도 다 털어 놓는다
"딸년이 셋인데 셋 다 몸에 금을 두르고 살아"
"매일 수영 다니고…"

복도 오다가다 병실에서 나오는 얘기만 듣다 보면
누가 어디가 아픈지도 모르겠고
어디가 슬픈지도 모르겠다
아픈 사람이 누군지도 모르겠다

말(言) 2

저기 한 사람은 입을 닫고 산다

여기 한 사람은 입을 열어놓고 산다

아침부터 저녁까지

하루 종일…

저 사람도

이 사람도

한 평생 저렇게 살 것 같다

저기 저렇게 목소리 큰 사람은

누구하고 사나

어디서 배웠을까

누구한테 배웠을까

말(言) 3

말이야말로 거대한 권력이고
주입식이며 객관식이다
또 고모들이나 오촌 당숙들의 말이
이를 테면 아버지의 언어가
병실에서도 저 복도 끝에서도
나직하게 또렷하게 들린다

달랑달랑 발을 좀 들고 다니라고 해!
아침에 계란 프라이 하고 사과 두어 조각 먹어야 해!
동갑이네!
일어나면 미지근한 물 한 잔 마셔!
몸을 따뜻하게 해라!
양배추 먹을 때 그릭 요거트 얹어 먹어!

오오 맑은 소주 같은 강릉 일대의 방언이여
"시남히 오우야"
"되우 반갑소"

꿈

꿈은 그냥 간밤의 꿈일 뿐이다
연연해하지 마라
꿈이 좀 사납다 해도 꿈은 꿈이다
한잠 더 자고 나면
다 일장춘몽이다

시퍼렇고 깊고 큰 강을 보면 좋고
홍시만한 황금덩이 열댓 개를 봐도 좋고
반가운 이를 만나도 좋다
굳이 검색하지 마라

시인의 동네

—주문진

시인 권현형의 친정집이 여기 어디쯤 아닐까
저 모퉁이 노랗게 색칠한 집
저기 하얀 2층 집
건어물 가게 끝 옛날 식 연립주택
혹시 저 신축 아파트
저기 빨랫줄에 오징어 다섯 마리 걸어놓은 집
거실에서도 파도소리 들리는
오늘따라 더 춥고 어두운 동해바다
시인 강우식보다
시인 김영현보다
그들보다 한참 아래인 그녀를 더 찾게 된다

소돌에 가서
갓 삶은 문어에 소주라도 한잔 할 수 있을는지
쓰지도 않은 문자를 내가 지운다
아님
어디서든 외롭게 더 지독하게 외롭게 살든가
아님
어둠을 요약해서 말할 수는 없으므로*

다시
아픔을 요약해서 말할 수는 없으므로

나를 향해
바닷바람 쐬며 영진 해변을 오랫동안 걷고 또 걷고 있는
나를 향해
어디선가 카톡 날릴 것 같다
"추운데…"

추운 것도 어두운 것도 아픈 것도
춥고 아프고 어둡고 나면
그 속을 한없이 들여다보고 나면
그 끝에 춥지도 않고 어둡지도 않고 아프지도 않은 게 조금씩
조금씩 보일 때가 있다

*권현형

인간극장 편집본 같은

강릉의료원 3층 병실 복도든 휴게실이든
대다수가 여자들뿐이다
환자도 보호자도 간병인도
면회 오는 사람도 그렇다
다큐멘터리 한 장면 같다

이제 딱 만 하루 남은
2024년 12월 30일
그 어느 때보다 한 해를 꽉 채운 것 같은
다사다난했던 해

하루와 하루 사이에도 일정한 간격이 있고
한 해와 한 해 사이에도
일정한 간격이 있는 것 같다
그 간격을 누군가의 이름을 부르듯
이(李)공백이라 불러본다

간곡한 당부

내일 서울 올라가라

한 집에

아픈 사람 둘이 있는 거 아니다

…

이런 말까진 안 하려고 했는데

한 3주 있었으면 됐다

올라가라

어머니가 나를 옆에 앉혀놓고 하신 말을

여기다 옮겨놓는다

그 순간 나는 왜 먹통이 되었을까

시인의 단상(斷想)

아픔을 위로할 수 있는 말은 없다

1

아픔을 위로할 수 있는 말은 없다 아픔은 말로 할 수 있는 게 없고 아픔은 위로할 수 있는 게 아니다 아픔만큼 외로운 것도 없다 아픔은 슬픔조차 끼어들 자리가 없다 아픔은 결코 슬픔이 될 수 없다 슬픔은 또 아무리 슬퍼도 아픔이 될 수 없다 "좀 더 센 진통제 갖다 달라고 해라" "이렇게 아파서 사람들이 죽는가 보다" 아픔은 공포보다 무섭고 아픔은 더 이상 괴로운 것도 아니다 "무슨 약이라도 줘야 하는 것 아니냐"

2

오늘의 모욕도 차라리 아픔이라고 하자 그리고 그것도 슬픔이라고 하자 그래야 또 하루를 완성했다고 할 수 있다 그리고 오늘 12월의 어느 날을 경멸이라고 하자 경멸도 산 자의 몫이다 그리고 또 오늘의 삶을 마약성 진통제라고 하자 아무도 모르게 모욕과 경멸을 반반씩 섞어서 모멸의 순간이라고 하자 아님 그냥 헐벗은 나무라고 하자 눈을 뒤집어 쓴 나무라고 하자 그것도 아니면 언 땅이라고 해도 괜찮을 것 같다

3

우는 자가 없다 병실에서도 복도에서도 심지어 상복 입은 자도 울지 않는다 김밥 한 줄 먹고 있는데 밤 깊은 시각에 김밥 20인분 사들고 간 상복 부부도 울음보다 더 급한 것이 있는 것 같다 울음보다 더 시급한 게 뭘까 그게 뭘까 이제 울음은 먼 산보다 더 먼 곳에 있다 아픔을 더 이상 아플 수도 없고 슬픔도 더 이상 슬플 수가 없다 분노도 더 이상 분노할 수가 없고 분노도 그냥 슬픔이 된다 슬픔이 혼자 조용히 침묵이 되고 A4 반장만한 공백이 된다 또 하나의 여백이나 구멍이 된다 12월 31일이라고 하여 한 해를 꽉 채운 것도 아니고 한 해의 마지막 날도 아니다 세상도 인생도 오리무중일 때가 더 많다 울음보다 울음 이전과 슬픔보다 슬픔 이전을 더 주목하게 된다 이를테면 어떤 사태보다 그 사태 이전에 대해 사유하게 된다

4

시보다 시적인 것에 대해 생각할 때가 많다 시보다 아픔에 대해 생각할 때가 많다 그러나 아픔은 낙담한 자의 것이다 아무나 아픔을 논할 수가 없다 병원에 발을 들여놓는 순간, 시보다 시적인 것이 눈에 띈다 병원 안과 병원 밖은 세계가 다르다 의자에 앉아 있는 사람들의 눈과 그들의 굽은 등을 바라볼 때가 많다 그들의 발걸음을 짐작할 때가 많다 그들의 뒷모습을 좇아갈 때도 있다 환자 곁의 보호자를 유난히 바라볼 때가 있다 여기서 굳이 호모포에티쿠스 운운 하진 않겠다

5

병원 밖에서 흐린 하늘을 쳐다본다 이상하다 하늘을 보면 산 자보다 죽은 자를 찾게 된다 또 산 자보다 죽은 자와의 대화가 편할 때가 있다 죽은 자는 산 자의 간절한 청을 들어 줄 것만 같다 연초에 타계한 사촌 동생도 그리고 오랜만에 사촌 형들의 이름도 불러보았다 생전에 존경해 마지않던 많은 오촌 당숙들의 이름도 불러보았다 또 강릉사범학교 졸업반이던 학도병으로 육이오 때 순국한 작은 외숙도 생각났다

6

이미 이 세상에 없는 자와 연대하여 누군가가 촛불을 들었다 그 촛불과 연대하기 위해 나도 촛불을 들었다 촛불이 다시 촛불이 되기 위하여 슬픔이 다시 슬픔이 되기 위하여 분노가 다시 분노가 되기 위하여 12월의 밤이 다시 12월의 밤이 되기 위하여 단 한번이라도 이단이 되기 위하여 지리멸렬하기 위하여 광장이 다시 광장이 되기 위하여 아아 "광장이 다시 광장이 되기까지"(졸시, 「광장이 다시 광장이 되기 전에」에서)

7

이곳은 약자들의 세계다 아픔과 슬픔이 어깨를 짓누르고 어딘가 무슨 의자만 있으면 우선 털썩 주저앉게 된다 병원 곳곳에 의자가 많다는 것도 이번에 알았다 의자에 앉아 있는 자들이 기댈 곳은 거기 의자밖에 없는 것 같다 병원 구내 의자가 일정한 디자인인 것도 다 이유가 있는 것 같다 시가 패자와 약자의 편에 설 순 있어도 환자의 편에 선다는 건 차마 어려울 것만 같다 환자 곁의 빈자리가 눈에 띌 때가 있다 시는 고작 그곳을 바라볼 뿐이다

8

사람은 혼의 지배를 받는 게 아니라 몸의 지배를 받는 것 같다 혼이니 영혼이니 정신이니 망령이니 유령이니 뭐니 해도 결국 몸이 좌우 하는 것 같다 아픈 사람 곁에 있다 보면 무엇이 중한지 알게 된다 그것도 논리 이전의 무엇이며 언어 이전의 무엇인 것 같다 아픔보다 더 앞서는 것이 없다는 말도 어느 정도 수긍하게 된다 이(理)와 기(氣)의 논쟁도 여기 어디쯤에서부터 출발할 수밖에 없었을 것 같다

9

걷다 보니 옛 강원감영(監營) 경내에 들어섰다 선화당 마루턱에 잠깐 앉았다 일어섰다 역사도 사람에 관한 부분은 예민한 것 같다 그래도 시는 역사가 아니다 역사물의 장시를 쓴다고 해서 시가 역사가 될 순 없을 것이다

10

유부우동을 먹고 있는 젊은 여자 옆 테이블에서 김밥을 먹었다 김밥을 먹고 두 블록 지나서 휴대폰을 두고 왔다는 생각이 났다 시보다 휴대폰에 민감할 때가 있다

11

결국 환자 보호자인 줄 몰랐다는 말이다 처음 들었을 땐 웃고 말았지만 1분 2분 3분… 지나면서 화가 머리끝까지 치솟았다 6층 계단에서 1층으로 내려갔다가 다시 1층 계단에서 6층까지 올라왔다가 다시 내려갔다 다시 올라왔다 내려갔다 단지 환자 보호자인 줄 몰랐다는 말만 듣고 이렇게 난리를 치지 않았을 것이다 한곳에 있다 보면 꼰대가 되어가는 것 같다 앞뒤도 맞지 않고 소위 우물 밑이 빤히 보이는데도 아내는 그러려니 하고 넘어가라고 당부한다 서푼 짜리 노여움 버리지 못하고 있다 고작 서푼짜리 노여움을 감당하지 못하고 있다

12

싸움은 약자하고 하는 게 아니다 약자와 싸운 자는 알 것이다 그러나 어제도 그렇고 오늘도 내가 싸운 자들은 결코 약자가 아니었다 그들은 이겼고 나는 졌다 그들은 약자가 아니라 강자였다 나는 패자였다 이런 날은 손자병법을 생각하는 것보다 지금은 조직에서 은퇴했지만, 내 친구의 친구인 어느 소도시의 보스가 생각난다 오래전 그와 관련된 시 한 편을 썼는데 읽었는지 모르겠다 아무도 읽지 않았으면 혼밥 하듯 나 혼자 읽어야 하겠다 혼독 혼독 혼독… 혼독보다 그냥 외롭게 읽자 외로운 자는 결코 약자가 될 수 없다 외로운 자야말로 강자다 외로운 자들이 모여 급진주의자가 되었던 어느 시대를 생각한다 조선시대 때 얘기가 아니다

13

과거와 현재가 뒤죽박죽일 때가 있다 과거만 죽은 게 아니라 과거의 언어도 죽었다 역사도 죽었다 죽은 역사가 산 역사를 가르치고 있다 과거로부터 자유로울 순 있어도 과거의 언어로부터 자유롭기가 쉽지 않다 언어의 권력은 생각보다 크다 과거의 언어가 무엇인지 여기서 별도로 공지하진 않겠다 다만 백 브리핑 기회가 있다면 고려해 보겠다 엉뚱한 말 같지만 대역일 땐 나는 어디에 있어야 하는가 나는 없고 대역만 있는가 나는 타자가 되어야 하는가 무대 위의 연기자에 대해 특히 연기자의 삶에 대해 생각하게 된다 마치 무명 시인의 삶에 대해 생각하게 되듯이…

14

그대의 섬은 어디에 있는가 큰 바다 한가운데 있는 게 아니라 그대 가슴 언저리에 있는 게 그대의 섬이다 그게 또 사랑이다 그게 또 우정이다 그게 또 시일 것이다 때때로 그게 또 허구가 될 것이다 병원 복도 끝에 앉아서 잡념을 좇다 보면 여기도 섬이고 저기도 섬 같다 이 밤도 이 소도시도 섬 한 점 같다 방금 내 앞을 지나간 환자복 입은 여자도 섬 하나같았다 오늘 하루도 섬이고 내일도 섬이다 당신도 마침내 섬이 되었고 나도 섬이 되었다 밤이 되면 그냥 조용하다 마침내 어둠도 조용하다 무거운 것도 밤이 되면 조용해진다

15

아픈 사람은 밤에 두 번도 깨고 세 번도 깬다 밤을 하얗게 지새우는 사람도 있다 긴 밤을 이렇게 새우는 자도 있고 저렇게 새우는 자도 있다

16

자꾸만 반복하는 것은 또 고정관념이 되기 십상이다 고정관념이 되면 또 반복하게 된다 무엇을 또 반복할 땐 조심해야 한다 왜냐하면 관습의 권력에 쉽게 휩쓸리기 때문이다

17

헤밍웨이의 『노인과 바다』에서 그 노인은 우선 이 세상의 견고한 고정관념을 깨부수는 자 아니었던가? 세르반테스의 돈키호테도 그렇고 그리스인 조르바도 그렇지 않은가 그들은 결코 체제 지향적인 인물들이 아니었다 지금도 그들은 이 세상을 떠도는 망명자인 셈이다 어떤 대열에서 이탈한 자는 시가 될 것이고 시인이 될 것이다

18

시처럼 쓴 시보다 아무리 보아도 시가 아닌 시가 더 끌릴 때가 있다 그것이 언어든 삶이든 말이다 그것이 역사든 허구든 말이다 그런 생각이 들 때가 왕왕 있다

19

지인에게 신작시를 꺼내보였더니 그가 주말농장의 쑥갓과 상추 동영상을 주르륵 보여 주었다 지인에게 시집을 줬더니 그가 손수 만든 유기농 빵을 꺼내놓았다 어떤 이는 바다낚시로 잡은 대어를 내놓았고 어떤 이는 집에서 기르는 애완견의 동영상을 보여줬다 이제 시를 내놓지 않을 것이며 시집을 보내지 않을 것이다 시는 혼자 하는 장르가 되었다 시가 시집이 가슴 언저리를 쿡쿡 찌르던 그런 시대는 지나갔다 현타! 하자 그렇다 길에서 검객을 만나더라도 칼끝을 보이지 말자 칼의 시대도 갔다

20

어디 집필실이다 문학촌이다 입주 작가 신청 안내 등등 이런 메일을 받을 때가 있다 그럴 때마다 당장 입주할 것처럼 주소도 검색하고 신청 자격 등등 훑어보곤 한다 그러나 시야말로 어디 작업실 같은 공간이 아니라 이 순간 이 순간의 언어 같은 것 아닌가 펜과 A4 이면지 한 장 있으면 되는 것 아닌가 아니다 요즘엔 휴대폰만 있으면 되는 것 아닌가

21

어떤 정국 현안에 대해선 양비론과 함께 모두 까기를 해야 할 때가 있다 그러나 또 양비론과 모두 까기를 넘어 기성 체제를 넘어 제3의 물결, 제3의 길, 제3의 지대를 모색해야 하는데 그게 그렇게 요원한 것일까 이를 테면 핑퐁 식 정치권 교체만으론 사회 제반 문제든 양극화든 뭐든 뚫고 나갈 수가 없다 진퇴양난은 이럴 때 쓰는 말 같다 그러나 어떻게 해서든지 O, X 또는 객관식 사유체계에서 이른바 고정관념의 세계로부터 벗어나야 할 때가 되었다 한 발짝 더 나아가 이런 것도 논의할 때가 되었다 예컨대 합종연횡 식 연정, 최소 2년 불신임 금지 독일식 내각제, 다당제, 공적 논의 과정 중시, 국회의원 중대선거구제 도입 등등

22

어제는 모처럼 영진해변을 걸었다 갯바위 끝에 홀로 앉아 있는 갈매기한테서 눈을 뗄 수가 없었다 그도 나도 꼼짝 않고 있었다 한참 후에야 드디어 날았다 갈매기의 날개 짓을 구경하다가 파도의 어깨를 헤아려 보다가 방파제 끝의 큰 고목처럼 서 있던 등대 옆에서 석양을 바라보았다 도깨비 촬영지 작은 방파제 끝에는 일단의 촬영객들이 줄지어 서 있었다 하 TV 드라마에 나온 곳은 어김없이 관광지가 된다

23

그물 손질을 하는 어부들을 지나 그물에서 갓 잡은 양미리를 떼어내는 바닷가 사람들을 지나 주문진 어민시장을 지나 옛날에 살던 '오대물산' 집 근처를 지나 곧 출항할 어부처럼 항구에 도착했다 출항 전에 만난 어선들의 이름을 여기다 옮겨 놓는다 제2월광 장미 신성 동도 연수 대부 문창호 유민 백경 성신 일광 풍한 성동 창은 대부… 1960년대 선친이 한때 영북지방 어느 소읍에서 선주였던 명태 잡이 그 어선 이름도 이 기회에 기록해 두어야 하겠다 행덕호…

24

어디서든 누구 하고 얘기하든 반만 말하자 잊지 말라 어디서든 누구하고든 반의반만 말하자 어디서든 누구하고든 하고 싶다고 다 말하지 말고 차라리 날씨도 하고 굳이 하지 않아도 될 농담도 하고 헛소리도 하고 헛말도 하고 헛발질도 하자 헛웃음도 지어보자 술자리든 밥자리든 피로연이든 끝까지 앉아 있지 말고 중간에 툭 잘라서 일이 있다고 먼저 일어나 빠져나올 것 어디서든 누구하고 얘기하든 정색하지 말고 진지하지 말고 대충 대충 얘기할 것 진보인 척도 하지 말고 시인인 척하지 말 것 만이인 척 하지 말 것 퇴직남인 척 살림남인 척 하지 말 것 전직 운운 하지 말 것 틈날 때마다 단순하게 사는 법 배워둘 것 사람은 배운 대로 사는 법이다 맛보다 멋도 알아야 한다 나이 먹으면 두 끼만 먹어도 된다 여기서 행갈이 할까 하다 그냥 이어서 쓴다 시도 그냥 쓸 때가 있다 그럴 때가 있다 누이 좋고 매부 좋을 때 같다 연말에 나온 졸저 신작 산문집 받자마자 여기저기 뒤적이고 있는 구순 넘은 노인이 있다 퇴원한 지 일주일이나 됐나…

25

신념이 관념이 되면 신념도 맛이 갔다는 것 손절할 땐 손절하자 그동안 연대했던 것과 그동안 연민했던 것에 대해 숙고할 때가 있다 만약 어떤 공(功)이 있었다면 공(空)이 되었을 것이다 이 공이든 저 공이든 어떤 인연이든 연연해하지 말 것 손들어 봤자 버스 지나갔다 생이불유(生而不有)

26

역사여 나의 역사여 덧없음을 배워라 신념이여 나의 신념이여 허망함을 보라 사랑이여 나의 사랑이여 차마 이루어질 수 없는 사랑을 보라 그 사랑을 잊지 말라 노래여 나의 노래여 떠도는 바람을 보라 떠도는 구름을 보라 용강동에서 내곡동에서 옥천동에서 동가식서가숙 하던 청춘이여 나의 청춘이여 실패한 청춘이여 눈물을 잊지 말라 외로웠던 순간을 놓치지 말라 그 옛날 강릉역 앞의 강릉여인숙을 잊지 말라 통행금지 시각을 뚫고 갔던 어둠을 잊지 말라 잊지 말라 과거여 나의 과거여 1980년 5월 그 어느 날의 강릉을 잊지 말라 그날의 동지를 잊지 말라 5월 어느 날 대자보처럼 벽에다 볼펜으로 꾹꾹 눌러 쓴 그날의 낙서를 잊지 말라 그러나 그대의 과거는 흘러갔다 과거를 묻지 말라 과거는 이미 그대의 언어가 아니다 언어는 본래부터 그대의 언어도 아니었거늘 그것도 소위 환상이거늘…

27

선영에 성묘 가려다 시 앞에 앉았다 누군가 저런! 하고 혀끝을 찰 것만 같다 그래도 우리 할머니께서는 나를 탓하지 않을 것이다 오늘 날이 제일 춥다는데 날 풀리면 오너라! 넵!

28

자기 주방이 아니면 하찮은 것 하나라도 찾기가 쉽지 않다 어제 주방에서 보았던 삼발이 찜기 어디 갔지? 송충이는 솔잎을 먹고 시인은 제 노트북 앞에서 노트북을 뜯어 먹고 산다 그런데 자기 서재에서 찾지 못한 책은 누가 찾아야 하나

29

뭘 안다고 하지 말자 이해한다고 하지 말자 알아들었다고 하지 말자 착하게 생겼다고 말하지 말자 겨울밤이 초(超) 겨울밤과 같다고 하지 말자 말을 비유하는 것까지는 납득하겠는데 말을 빙빙 돌려서 하는 것은 납득할 수 없다 누군가 마치 범행 장소를 깨끗하게 치워 놓은 것만 같다

30

지금까지 몇 권의 책을 냈는지 묻는 이가 있다 대답하지 않았다 디시 묻는다 겨우 대답했다 이제 시작이라고 했다 저쪽을 향해 개새끼들아! 했는데 내가 있는 이쪽을 향한 말이 되었다 이쪽저쪽 밖에 더 없는 것도 문제다 우울할 사이도 없이 우울한 세월이 지나가는 것 같다 쓸쓸할 따름이다 어제도 오늘도 걸었는데 아는 얼굴이 없다 시집 뒷날개 보면 아는 이름이 점점 줄어든다 어떨 땐 하나도 없을 때가 있다 그 시선의 라인업 탓일까 아님 나의 빗나간 라인업 생각 탓일까 창비 문지 문동… 그런 시대가 아니다 과거의 포맷을 반복하지 말라 시도 언어도 허구의 세계다 삶도 세상도 허구의 세계다 이 들녘을 같이 산책할 이가 없다 천만다행이다 앗! 초면인데 인사를 건네는 여자가 있다 옛 제자 같다는 생각을 했다 위험한 발상이다 언제부턴가 다이소를 보면 마음이 편하다 왜 그럴까 졸시 〈다이소를 생각하며〉 때문일까 정말 그것 때문일까

31

아주 멀리 있던 것이 하루아침에 가까워졌다 단지 나 혼자만의 생각이겠지만 우선 노벨문학상에 대한 소회가 그렇다 마치 높게만 보이던 이를 테면 대청봉을 오르거나 오르고 나서 느끼는 감정 같은 것이다 거듭 말하지만 나 혼자만의 생각이다 유수의 국내 문학상 근처에도 가보지 못한 주제에 할 말은 아니겠지만 내 좁은 생각으로는 그렇다는 것이다 아무튼 지난해 노벨문학상 발표 이후 몇몇 소설가들의 작품에 대해 되돌아 볼 기회가 있었다 그리고 또 좀 다른 얘기겠지만 노벨상 때의 그 독서 열풍은 과연 어디까지 불었다는 걸까 아니 좀 불긴 불었다는 걸까 거품일까 수상자의 작품 이외 국내 소설을 또 얼마나 읽었을까 자못 궁금하지 않을 수가 없다 이것 또한 주제넘은 발언일까 좌우지간 동 업계 종사자로서 멀게만 느껴지던 노벨상이 가까워졌다는 것만 해도 개인적으로 얻은 소득이라면 꽤 큰 소득일 것이다

32

국민이 직접 선거를 통해 정치권부터 연령대를 확 낮춰서 세대교체가 이루어지게 하면 어떨까? 여타 직역도 단계별로 연령대를 낮추면 어떻게 될까? 한 시대가 교체되면 시대정신도 바뀔 것이고 한 세대가 바뀌면 세대는 교체될 수밖에 없는 것 아니겠는가? 이왕에 말이 난 김에 각 신문사 신춘문예 심사위원의 연령대도 확 낮추면 어떻게 될까? 이를 테면 등단 십 년 이하로 낮추면 어떻겠는가? 좀 더 새로운 시인을 발굴하기 위해선 그들의 시선과 안목이 필요하지 않을까?

33

이 토막글은 이른바 대상이 있는가 없는가 대상이 없는 글을 자유분방하게 쓰려고 하는데 대상을 향한 글을 쓰고 있는 셈이다 예컨대 시대와 역사를 염두에 두면 산문이 된다 산문시도 되지 못하고 산문이 된다면 그것도 치욕이다 수치스러운 일이다 대상이 없는 곧 상대가 없는 글을 쓸 수 있겠는가 말하자면 대상을 놓친 글을 쓰려고 했는데 허무한 글을 쓰려고 했는데 뒤죽박죽이 되고 말았다 차라리 뒤죽박죽이 되었으면 좋겠는데 각방 쓰는 처지가 되었다 아무나 자유하고 아무나 허무 하는 게 아닌 것 같다 역시 뒤죽박죽된 말 같지만 대상을 놓친 글 또는 시는 수사나 기교가 필요 없다 수사나 기교를 끌어들일 일이 없다 그냥 깡마른 나무 한 그루만 들녘에 세워놓았을 뿐이다 그림자도 없고 이파리도 없다 더 중요한 것은 심지어 계절도 없다 아무것도 없다 앞뒤가 맞지 않는다 그게 좋다 위와 아래가 맞지 않는다 그것도 좋다 나이 들면 위보다 아래를 보게 된다 어긋날 때가 좋다 농담할 때가 좋다 정색하지 않을 때가 좋다 대충할 때가 좋고 가벼울 때가 좋다 시시할 때도 좋다 부드러울 때도 좋고 섬세할 때도 좋다 산책을 했지만 마치 배회한 것 같다 방랑자가 된 것 같다

34

시가 아니라 산문시가 아니라 완전히 산문이 된 것 같다 그럼 시는 무엇인가 또 산문시는 무엇인가 시라고 하면 시가 되는 것 아닌가 아닌가? 산문시라고 하면 산문시가 되는 것 아닌가 아닌가? 시가 미쳤는가 산문시가 미쳤는가 그것도 아니면 산문이 미쳤는가 누가 맛이 갔는가 시가 갔는가 산문시가 갔는가 산문이 갔는가 이럴 땐 나도 모르겠다 이럴 땐 벽을 본다 아무것도 없는 벽 하나뿐이지만…

35

시도 그렇지만 시인도 이해할 수 있는 부류가 아닌 것 같다 좀 이해가 안 되는 게 또 그쪽 분야일 것 같다 이해하지 말자 이해하지 말아 주삼! 제발!

36

헛걸음한 적 있지? 헛걸음한다 하고 길을 나섰던 적도 있지? 그 헛걸음은 실은 어떤 상대를 향한 것보다 나를 향한 것이었지 나를 향한 길이었지 장위동 성당이 가까운 곳에 있었지 진토닉 팔던 카페도 있었던가 고개 하나 더 넘으면 김종삼 동네 길음동이 보였을 것이다 헛걸음이 황량한 들녘 같다는 생각도 그때 하긴 했을까 독자 없이 글 쓰는 것과 무엇을 염두에 두지 않고 명상하는 것도 잠시 헛걸음과 대동소이할 것 같다 아무튼 어디로 가는지도 몰랐고 어디서부터 꼬였는지도 몰랐지 선명하지 않았지 그 헛걸음 그게 또 시의 길이고 시인의 길이라는 것도 몰랐지 앞뒤 모르고 쓰는 게 시 아닐까 시가 되고 시인이 되는 길이 남들보다 두 배쯤 힘든 것 같았지 지름길도 몰랐고 굳이 먼 길을 돌아다닌 것만 같다

37

타자의 반대말은 뭘까 긍정의 반대는 뭘까 사랑의 반대말은 뭘까 자학의 반대는 가학의 반대는 옳은 소리 바른 말의 반대는 남성적 권력과 정치적 권력의 반대는 정보의 반대는 무엇인가 쓰레기의 반대는 쓸쓸함의 반대는 허망함의 반대는 덧없음의 반대는 역사의 반대는 뭘까 이른바 아버지의 언어와 아버지의 이름 그 반대는 뭘까 가면의 반대는 하나만 더 하자 개소리의 반대는 제정신의 반대는 평균적 이해의 반대는 또 뭘까 홀로 있음의 반대는 또 뭘까

38

이 겨울밤을 뭐라고 하면 좋을까? 슬픔 아픔 분노 야반도주 선달그믐 서글픔 12월 마지막 주를 뭐라고 할까 손 바뀜 희열 법열 강렬 통렬 정열 열정 울컥 냉담 클라이맥스 에필로그 막간 무대인사 한숨 절정 불현 듯 혼자 걷는 길 무음 문자메시지 끝말 이어가기 숨은 그림 찾기 옛 친구 늙은 남자가 혼자 집을 나선다 외롭지도 않고 초라하지도 않다 나는 누구인가 나는 또 얼마만큼 억압되어 있는가 나의 억압은 또 어디서부터 온 것일까 이 억압은 얼마나 먼 데서 온 것일까 이 불안은 또 얼마나 먼 데서부터 이 밤에 달려온 것일까 그럼에도 불구하고 얼마 전에 겪은 12월 마지막 주는 정신분석에서 말하는 근원적 상실 운운 하는 것보다 차라리 쾌락이 박탈된 즉 거세된 자의 텅 빈 가슴 같을 것이다 이 세상은 이미 무낙(無樂)한 곳이라는 걸까

39

2025년 1월 첫 주가 지나간다 나는 왜 조선 왕조 별책부록 같은 시대를 사는 것 같다고 생각할까 아니다, 아니다 그 왕조보다 더 못한 시대를 사는 것 같다고 생각한다 이거 나 혼자만의 느낌일까 나 혼자만의 사랑일까 나 혼자만의 인식일까 이 밤에 왜 또 방황 하는가 왜 새벽 한 시 또는 두 시에 창밖을 내다보며 역모를 꿈꾸었던 그 사내를 생각하는가 그 사내는 영(嶺)을 넘었던가? 그는 왜 또 그렇게 많은 시를 남겼다는 걸까 그 사내가 차를 마시고 또 시를 읊는 소리가 들린다 그 사내의 울음소리도 들린다 사내의 울음은 속이 썩고 썩어야 나오는 것이리라 세상을 향하는 것이었다가 결국 자기 가슴을 향하는 것이었으리라 아주 낮은 물소리 같고 또 어둡고 깊은 겨울밤 같은 것이었으리라 마치 겨울비 같은 아주 서늘한 소리였으리라 그 사내는 왜 세상과 타협하지 못 했을까? 또 어떤 사내는 북만주 벌판을 무사히 횡단하였을까 깊은 강을 건넜을까 그러나 나는 모르겠다 어둡고 깊은 것은 또 얼마만큼 먼 곳에 있는지 또 얼마만큼 무거운지

40

아픈 사람이 많다 각자 얼굴이 다르듯 각자 사연도 다르겠지만 아픈 사람이 많다 아픈 사람 곁에 있다 보면 아픔에 대하여 한 번 더 생각하게 된다 아픔은 그야말로 얼마나 깊은 곳에 있는지 그곳은 또 얼마나 깊은 데 있는지 알 수 없다 그리고 가만히 바라보면 늙은 사람은 아픈 게 보이는데 젊은 사람은 어디가 아픈지 알 수가 없다 어디가 슬픈지 알 수도 없다 저기 복도 끝의 의자에 앉아 있다 보면 아프고 슬픈 것에 대하여 또 생각하게 된다 아픔은 그래도 누군가 알아주지만 슬픔은 아무도 알아보지 못한다 슬픔은 언제나 아픔보다 더 깊은 곳에 있다 그럴 리야 없겠지만 아주 가끔 때때로 아픔은 친구가 있지만 슬픔은 친구가 없다 또 그럴 리야 없겠지만 아픔은 눈물이라도 흘릴 게 있지만 슬픔은 그저 속으로, 속으로 더 구겨 넣어야 한다 물론 그럴 리야 없겠지만 아픔은 포기할 수도 없지만 슬픔은 포기할 데가 있다 다시, 아픔과 슬픔을 혼동하지 말자 아픔은 끝도 있고 거기까지, 거기까지만 이런 것도 있지만 슬픔은 끝이 없다 슬픔은 아픔보다 더 깊은 곳에 있다 빌어먹을! 거지같아! 이런 말도 할 수 없다 아픔은 인생살이처럼 굴곡도 있고 고비도 있는데 슬픔은 그런 게 없다 말하자면 이른바 일자(一字) 관념 같은 것이다 슬픔은 아주 차갑고 시린 물처럼 냉정하다 한번 돌아선 자가 다시 돌아오지 않는 것처럼 말이다 아픔을 말하고자 하는데 슬픔이 앞을 가린 꼴이 되었다 어떻게 보면 슬픈 게 아니라 아픈 것 같다 슬픈 것보다 아픈 게 나을 때도 있다 아픔은 어떻게든 알아서 할 수 있는데 슬픔은 어떻게 할 수 없을 때가 많다 슬픔은 아픔보다 멀리 간다 잠깐, 그대는 슬픈 사람인가 아픈 사람인가 그러나 슬픔과 아픔을 혼동하지 말자 아주 어렵고 힘든 말이겠지만 아픈 자 앞에서 슬픔을 보이지 말라 눈물도 보이지 말라 아픔은 남들 앞에 아주 가끔 보여줄 수 있지만 슬픔은 아무에게도 보여줄 수가 없다 아픔보다 슬픔이 더 깊은 곳에 있다는 것을 아무에게도 말하지 못하는 사람들이 있다 그들이야말로 역사나 진리보다 더 깊은 곳에 있다는 슬픔을 아는 자일 것이다 이 밤에 아픈 자들이여 슬픈 자들이여 역사나 진리는 먼 곳에 있는 게 아니라 지금 여기서 아프고 슬프다면 때때로 괴롭고 또 외롭다면 그게 곧 그것이 아니겠는가! 괜한 농담 같지만 이제 진리는 없다 역사도 없다 진리나 역사도 어쩌면 매우 강박적인 관념에 가까울 것이다 역사와 진리로부터 한 발짝 한 발짝 벗어나 보자 그리고 그 너머의 공백을 살짝 살짝 엿보는 것은 또 어떻겠는가? 그것이 결국 허무맹랑한 것이라 해도 그 자신만의 삶의 철학이 될 것이다 강을 건넌 자는 알 것이다 아니다 어딘가 떠도는 자는 알 것이다 아니다 어딘가 겉도는 자는 알 것이다 아니다 어디선가 또 피식피식 웃는 자는 알 것이다 아니다 아니다 하하하 크게 웃는 자는 알 것이다

41

아니다, 아니다 그런 것보다 언어로부터 벗어나자 그런 것보다 언어의 권력으로부터 벗어나자 아니다, 아니다, 아니다 도대체 무슨 말을 하는지 모를 때까지 말하자 그냥 툭툭 던지는 농담 같은 '사건'만 던져놓자 물론 이 말도 적절하진 않겠지만 세상에 속고 살았는데 이젠 세상을 속이게 된 것 같다 잠시 그런 생각이 들었다 무의식 같은 것이 수돗물 새듯이 줄줄 흘러나올 때가 있다 그보다 누가 누굴 속이는지 모르겠다 돌고 도는 물레방아 같은 인생이다 오래된 딕션 같지만 그냥 둔다 1970년대 정서가 묻어 있다 그러나 또 서럽고 슬픈 1970년대 그날들이여! 죄다 흑백 사진 같은 날들이여! 그러나, 그러나, 뒤돌아보지 말 것! 이것도 고작 앞에 툭 던져놓은 혼자 중얼거린 말이다 어떤 의미도 논리도 딱히 무엇 하나 전달할 것도 없는 마치 잠깐 말실수 한 것 같다 다만, 시를 쓰지 말고, 시를 만들지 말고 시를 쓰자 그리고 어떻게든 자신만의 삶을 살아야 하듯이 자신만의 시를 써야 하리라!

42

"여자의 깊은 가슴속에는 항상 메워지지 않는 빈자리가 있다"(김이연) 시인의 깊은 가슴속에도 항상 메워지지 않는 빈자리가 있다 이를 테면 늘 빈자리 같은 어두컴컴한 구멍을 시 한 편이나 시집 한 권으로 메울 수 있는 게 아니다 걍 빈자리로 두어야 할 때가 많다 어떻게 메울 수도 움켜쥘 수도 없기 때문이다

43

또 여기서 사족이겠지만 역사나 진리 앞에서 시대나 정의 앞에서 시는 설 자리가 없다 그런 자리가 아니라 해도 시는 이미 설 자리가 없다 어느 구석에 빈자리가 있어도 시의 자리가 아니다 간혹 병실 복도 끝의 빈자리가 언제 생길까 하고 눈여겨 볼 따름이다 그게 또 시인의 자리인 것 같다 어느 곳에서든 시의 자리도 시인의 자리도 없다 아무것도 없다 다만 복도 끝이든 식당이든 잠자리든 시 한 줄이라도 쓰게 되면 그게 또 시의 자리이고 시인의 자리인 셈이다 시인 동지들이여! 그렇지 아니하던가? 수처작주 입처개진(隨處作主 立處皆眞)
(2025년 1월)

늙은 코끼리의 노래

1판 1쇄 인쇄_2025년 06월 10일
1판 1쇄 발행_2025년 06월 20일

지은이_강세환
펴낸이_양정섭

펴낸곳_경진출판
등록_제2010-000004호
사업장주소_서울특별시 금천구 시흥대로 57길 17(시흥동, 영광빌딩), 203호
전화_070-7550-7776 팩스_02-806-7282
스마트스토어_https://smartstore.naver.com/kyungjinpub
이메일_mykyungjin@daum.net

값 12,000원
ISBN 979-11-93985-78-6 03810